CHARADINHAS

CIÊNCIAS E CORPO HUMANO

Ciranda Cultural

CIÊNCIAS E CORPO HUMANO

1. Só a faz quem já a tem, pois quem não a tem não a faz; se a tiver, pode não a fazer, e se a fizer já não a traz. O que é?

2. O que a gente tem que alguns põem no doce?

3. Qual o elemento químico que está sempre na sombra?

4. Por que não se pode comer um elétron?

5. Qual o doce favorito do átomo?

6. **Qual a doença mais óbvia?**

RESPOSTAS: 1. A barba. 2. A canela. 3. O "índio". Ele está embaixo do "gálio". 4. Porque ele tem spin (espinha). 5. Pé de molécula. 6. Catarata, porque dá na vista.

CIÊNCIAS E CORPO HUMANO

7. **O que é que, quanto mais iluminamos, mais difícil fica de ver?**

8. O que viaja a velocidade do som e não tem pernas?

9. O que a tosse disse para o resfriado?

10. O que só se dobra com as pernas?

11. Onde fica um céu que não tem estrelas?

12. Quem é que não tem amor à pele?

13. O que pegamos sem ver?

14. O que é uma molécula?

RESPOSTAS: 7. A pupila. 8. A voz. 9. "Vamos trabalhar juntos para incomodar as pessoas". 10. O joelho. 11. Na boca. 12. A espinha. 13. Uma gripe. 14. Uma menina muito sapécula.

CIÊNCIAS E CORPO HUMANO

15. O que se pode perder facilmente, mesmo estando sempre junto ao corpo?

16. Quando é que o apaixonado se esquece da vida e o cardíaco mais se preocupa?

17. O que se deixa na rosa e tira-se do rosto?

18. Qual a boca que só aceita comida mastigada?

19. O que faz o homem virar a cabeça?

20. O que a vaca foi fazer no espaço?

21. **Onde o rei é coroado?**

RESPOSTAS: 15. A cabeça. 16. Quando o coração bate mais forte. 17. Na rosa deixa-se o espinho e do rosto tira-se a espinha. 18. A boca do estômago. 19. O pescoço. 20. Foi ver o vácuo. 21. Na cabeça.

CIÊNCIAS E CORPO HUMANO

22. O que quanto mais se usa, mais afiado fica?

23. O que se segura com a mão esquerda , mas não com a direita?

24. O que quando está em pé, está deitado, e quando está deitado, está em pé?

25. O que é fruta e está na cara, mas não serve para comer?

26. Quem sempre está nas bocas?

27. **Qual a bebida preferida do Drácula?**

28. Qual o nó que não ata nem desata?

RESPOSTAS: 22. O ouvido. 23. O cotovelo direito. 24. O pé. 25. A maçã do rosto. 26. A língua. 27. Sangue. 28. O nó da garganta.

CiÊNCiAS E CORPO HUMANO

29. O que age como se tivesse cérebro, mas não pode pensar?

30. Por que os pés são ótimos dançarinos?

31. Quem são as irmãs gêmeas que nunca se viram porque estão longe?

32. O que são duas janelinhas que se abrem e se fecham sozinhas?

33. Onde podemos sentir frio no dia de calor?

34. Quem é que gesticula com os joelhos?

35. **Quem vive com falta de ar?**

RESPOSTAS: 29. O coração, porque guia as emoções sem usar a razão. 30. Porque já deram muitos passos. 31. As duas orelhas. 32. Os olhos. 33. Na espinha (coluna). 34. Todos os que os possuem. 35. O vácuo.

CIÊNCIAS E CORPO HUMANO

36. Que partes do corpo são muito amigas?

37. O que anda com os pés na cabeça?

38. O que os dedos da mão dizem para o dedo médio?

39. O que um olho disse para o outro?

40. **O que sempre se conta e raramente se desconta?**

RESPOSTAS: 36. Os ombros, pois estão sempre lado a lado. 37. O piolho. 38. "Você está sempre no meio de tudo". 39. Há muitas visões entre nós. 40. A idade.

CIÊNCIAS E CORPO HUMANO

41. Quantos ovos um gigante precisa comer para não ficar estômago vazio?

42. O que uma célula de defesa disse quando viu um vírus chegando perto?

43. O que eu vejo; você não, mas está mais próximo de você do que de mim?

44. Quem é o super-herói dos braços?

45. **Qual a melhor maneira de se evitar a insônia?**

46. O que nunca pode se jogar fora?

47. Do que todo canhoto precisa?

RESPOSTAS: 41. Um. Depois que ele come o primeiro ovo, seu estômago não está mais vazio. 42. "Você não é bem-vindo aqui!". 43. A sua nuca. 44. O Braço de Ferro. 45. Não dormir. 46. A idade. 47. De um braço direito.

CIÊNCIAS E CORPO HUMANO

48. O que todo mundo sabe abrir, mas ninguém consegue fechar?

49. Quais partes do corpo estão sempre um passo à frente?

50. Por que quem não tem queixo nunca reclamam da vida?

51. **O que uma moeda tem que todas as pessoas têm?**

52. O que mais sente cheiro em um supermercado?

53. O que tem palma, mas não é palmeira?

54. O que precisamos para viver, mas não podemos ver?

55. O que nos ajuda a falar?

RESPOSTAS: 48. Ovo. 49. As pernas. 50. Porque não têm do que se queixar. 51. Cara. 52. O nariz. 53. A mão. 54. O ar. 55. A língua.

CIÊNCIAS E CORPO HUMANO

56. O que é que vive batendo em você, mas é bom para a saúde?

57. O que quanto mais brancos no rosto, mais saudáveis são?

58. O que faz uma pessoa brilhar aos olhos dos outros, mas não é desejada por ninguém?

59. Qual o lugar em que todos podem sentar, menos você?

60. O que de fato nos deixa com água na boca?

61. Que parte do sítio se lembra uma veia?

62. **O que há entre o olho direito e o olho esquerdo?**

RESPOSTAS: 56. A hemoglobina (nos glóbulos vermelhos do sangue). 57. Os dentes. 58. A lágrima. 59. O seu próprio colo. 60. As glândulas salivares. 61. A horta. 62. Um caso de interesses paralelos.

CIÊNCIAS E CORPO HUMANO

63. Qual é o meio de transporte que o oxigênio usa?

64. O que nunca vai à nossa frente, está conosco em todos os lugares, mas não vemos?

65. O que é um pontinho vermelho no meio da porta?

66. Qual a prisão que é muito humana?

67. **O que se pode segurar, mas não ver e tocar?**

68. Por que a célula foi ao psicólogo?

69. O que anda com a barriga para trás?

RESPOSTAS: 63. O coração. 64. As costas. 65. Um olho mágico com conjuntivite. 66. Prisão de ventre. 67. A respiração. 68. Porque tem complexo de Golgi. 69. A perna (barriga da perna).

CIÊNCIAS E CORPO HUMANO

70. Quais órgãos formam um par de balões dentro do corpo?

71. O que uma mão disse à outra ao oferecer ajuda?

72. Por que a cabeça é como um livro?

73. O que podemos perder sem deixarmos de ter conosco?

74. O que a cabeça disse quando o cabelo nela foi cortado?

75. **Qual o rio que nasce durante o verão?**

RESPOSTAS: 70. Os pulmões. 71. "Posso te dar uma mãozinha?". 72. Porque guarda muitas histórias. 73. A cabeça. 74. "Estou me sentindo mais leve!". 75. O Rio de Janeiro.

CIÊNCIAS E CORPO HUMANO

76. O que o homem tem que é próprio dos cães?

77. O que se pode usar para respirar, mas não é o nariz?

78. **Por que não se deve nadar de estômago vazio?**

79. Qual parte do corpo coça mais?

80. O que todo dia vai para o céu?

81. Qual a menor ponte do mundo?

RESPOSTAS: 76. Caninos. 77. A boca. 78. Porque é mais fácil nadar com as mãos e os pés. 79. A unha. 80. A língua. 81. A que algumas pessoas têm nos dentes.

CIÊNCIAS E CORPO HUMANO

82. O que anda por dentro das botas, mas por fora dos sapatos?

83. O que é tão leve quanto o ar, mas ninguém consegue segurar por mais de alguns minutos?

84. **Qual é a parte do seu ouvido que é o melhor instrumento musical?**

85. O que viaja pelo ar, sem asas, mas não entra senão pelos ouvidos?

86. O que tem coroa sem ser rei e raiz sem planta ser, mói e corta?

87. O que é liso por fora e peludo por dentro?

RESPOSTAS: 82. tornozelos. 83. A respiração. 84. O tímpano. 85. A voz. 86. O dente. 87. O nariz.

CIÊNCIAS E CORPO HUMANO

88. O que corre, mas não tem pernas, e tem leito, mas não dorme?

89. Qual é o melhor remédio para olho gordo?

90. Qual foi a primeira planta que os portugueses trouxeram para o Brasil?

91. Quais vegetais temos no corpo?

92. O que sempre se tira quando se anda?

93. **Qual parte do corpo trabalha mesmo quando se está dormindo?**

RESPOSTAS: 88. O rio. 89. Colírio diet. 90. A planta do pé. 91. A batata da perna, as maçãs do rosto e a planta dos pés. 92. Os pés do chão. 93. O cérebro.

CIÊNCIAS E CORPO HUMANO

94. O que Noé avistou na mão esquerda quando entrou na arca?

95. **Por que o lutador de caratê não é cirurgião?**

96. Por que ninguém confia nas unhas?

97. Qual o pé que está sempre caindo?

98. O que acontece quando se junta o sonho com a realidade?

99. O que tem duas cabeças, seis pés, quatro orelhas e uma cauda?

100. O que uma orelha disse para a outra?

RESPOSTAS: 94. Cinco dedos. 95. Porque ele só sabe dar socos, não cortes. 96. Porque elas deixam os dedos na mão. 97. O pé-d'água. 98. Sonambulismo. 99. Você, quando monta num cavalo. 100. "Nunca te vi e jamais verei!"